Anne Geddes

ISBN 0-7683-3240-0

Please write to us for a FREE FULL COLOR CATALOG of our fine
Anne Geddes calendars and books, Cedco Publishing Company,
100 Pelican Way., San Rafael, CA 94901.
e-mail: sales@cedco.com
website: http://www.cedco.com

The Anne Geddes 1999 Datebook is owned and produced by
The Especially Kids Company Limited,
2 York Street, Parnell, Auckland, New Zealand.
Telephone 64-9-375 2566, Facsimile 64-9-375-2560

Published in 1998 by Cedco Publishing Company,
100 Pelican Way, San Rafael, CA 94901.

Produced by Kel Geddes
Color separations by Image Centre
Printed in Hong Kong

ANNE GEDDES

Welcome to the 1999 collection of images from Australian born international photographer Anne Geddes. The images chosen for this collection are some personal favorites from the very latest of Anne's work.

Amongst these images you will find delightful fairies, enchanting pixies and spectacularly colored butterflies along with the inherent natural beauty of all babies which Anne manages to capture so well in each of her images.

"I hope that, through my work as a photographer, I have been able to pass on my appreciation of the beauty and charm of little children. As adults, we all need to stop occasionally and look at ourselves and our circumstances with an open mind and a sense of humor, and remember to appreciate the simple things in life, which are often the most important." - Anne Geddes.

This collection of images marks the fourth year that Anne Geddes calendars and datebooks have been produced in the American market. Anne's images have become an important part of American culture over these years as they have touched so many people's hearts with their uniqueness and creativity.

We hope you enjoy sharing 1999 with us and rediscover the magic as you turn each page.

1999

JANUARY

S	M	T	W	T	F	S
31					1	2
3	4	5	6	7	8	9
10	11	12	13	14	15	16
17	18	19	20	21	22	23
24	25	26	27	28	29	30

FEBRUARY

S	M	T	W	T	F	S
	1	2	3	4	5	6
7	8	9	10	11	12	13
14	15	16	17	18	19	20
21	22	23	24	25	26	27
28						

MARCH

S	M	T	W	T	F	S
	1	2	3	4	5	6
7	8	9	10	11	12	13
14	15	16	17	18	19	20
21	22	23	24	25	26	27
28	29	30	31			

APRIL

S	M	T	W	T	F	S
				1	2	3
4	5	6	7	8	9	10
11	12	13	14	15	16	17
18	19	20	21	22	23	24
25	26	27	28	29	30	

MAY

S	M	T	W	T	F	S
30	31					1
2	3	4	5	6	7	8
9	10	11	12	13	14	15
16	17	18	19	20	21	22
23	24	25	26	27	28	29

JUNE

S	M	T	W	T	F	S
		1	2	3	4	5
6	7	8	9	10	11	12
13	14	15	16	17	18	19
20	21	22	23	24	25	26
27	28	29	30			

JULY

S	M	T	W	T	F	S
				1	2	3
4	5	6	7	8	9	10
11	12	13	14	15	16	17
18	19	20	21	22	23	24
25	26	27	28	29	30	31

AUGUST

S	M	T	W	T	F	S
1	2	3	4	5	6	7
8	9	10	11	12	13	14
15	16	17	18	19	20	21
22	23	24	25	26	27	28
29	30	31				

SEPTEMBER

S	M	T	W	T	F	S
			1	2	3	4
5	6	7	8	9	10	11
12	13	14	15	16	17	18
19	20	21	22	23	24	25
26	27	28	29	30		

OCTOBER

S	M	T	W	T	F	S
31					1	2
3	4	5	6	7	8	9
10	11	12	13	14	15	16
17	18	19	20	21	22	23
24	25	26	27	28	29	30

NOVEMBER

S	M	T	W	T	F	S
	1	2	3	4	5	6
7	8	9	10	11	12	13
14	15	16	17	18	19	20
21	22	23	24	25	26	27
28	29	30				

DECEMBER

S	M	T	W	T	F	S
			1	2	3	4
5	6	7	8	9	10	11
12	13	14	15	16	17	18
19	20	21	22	23	24	25
26	27	28	29	30	31	

December

SUNDAY 20

MONDAY 21

Winter Solstice 8:58 p.m. E.S.T.

TUESDAY 22

WEDNESDAY 23

THURSDAY 24

FRIDAY 25

Christmas Day

SATURDAY 26

Boxing Day (Canada)

◐

First Quarter

DECEMBER

S	M	T	W	T	F	S
		1	2	3	4	5
6	7	8	9	10	11	12
13	14	15	16	17	18	19
20	21	22	23	24	25	26
27	28	29	30	31		

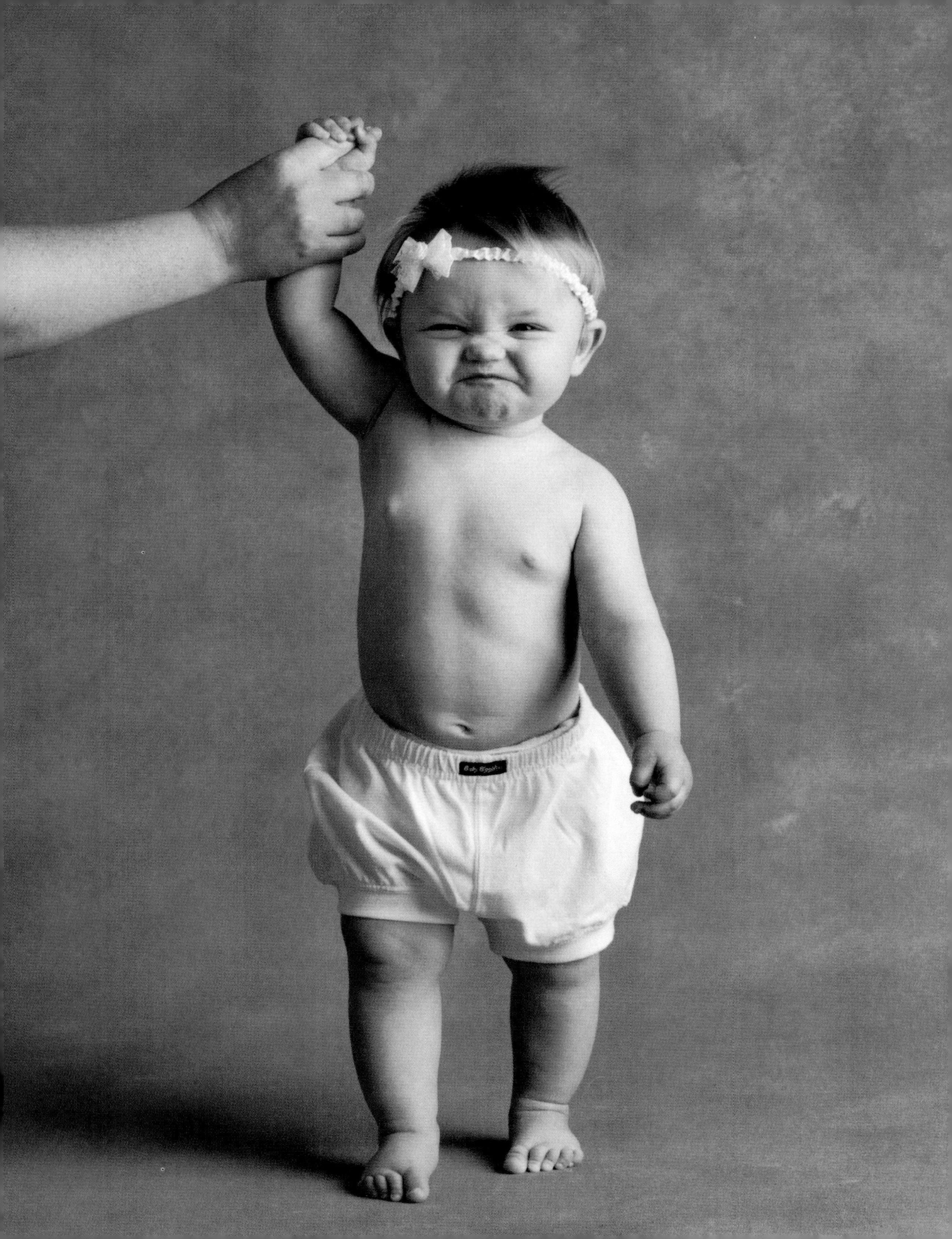

December ~ January

SUNDAY 27

MONDAY 28

TUESDAY 29

WEDNESDAY 30

THURSDAY 31

FRIDAY 1

New Year's Day

○
Full Moon

SATURDAY 2

JANUARY

S	M	T	W	T	F	S
31					1	2
3	4	5	6	7	8	9
10	11	12	13	14	15	16
17	18	19	20	21	22	23
24	25	26	27	28	29	30

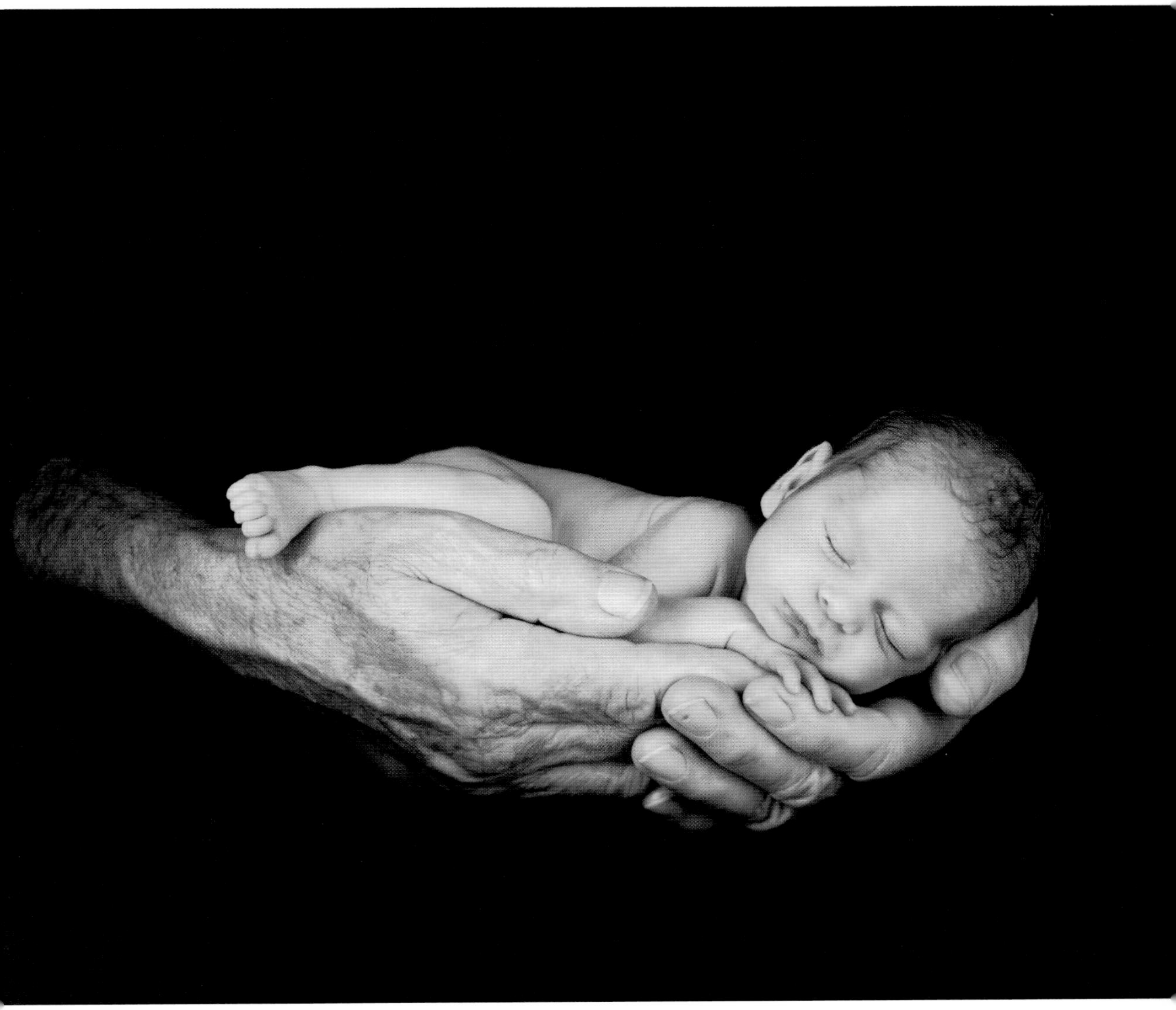

January

SUNDAY 3

MONDAY 4

TUESDAY 5

WEDNESDAY 6

THURSDAY 7

FRIDAY 8

SATURDAY 9

◑
Last Quarter

SUNDAY 10

MONDAY 11

TUESDAY 12

WEDNESDAY 13

THURSDAY 14

FRIDAY 15

SATURDAY 16

JANUARY

S	M	T	W	T	F	S
31					1	2
3	4	5	6	7	8	9
10	11	12	13	14	15	16
17	18	19	20	21	22	23
24	25	26	27	28	29	30

January

SUNDAY 17

●
New Moon

MONDAY 18

Martin Luther King, Jr. Day

TUESDAY 19

WEDNESDAY 20

THURSDAY 21

FRIDAY 22

SATURDAY 23

JANUARY

S	M	T	W	T	F	S
31					1	2
3	4	5	6	7	8	9
10	11	12	13	14	15	16
17	18	19	20	21	22	23
24	25	26	27	28	29	30

January

SUNDAY 24

◐
First Quarter

MONDAY 25

TUESDAY 26

WEDNESDAY 27

THURSDAY 28

FRIDAY 29

SATURDAY 30

JANUARY

S	M	T	W	T	F	S
31					1	2
3	4	5	6	7	8	9
10	11	12	13	14	15	16
17	18	19	20	21	22	23
24	25	26	27	28	29	30

January ~ February

SUNDAY 31

○
Full Moon

MONDAY 1

TUESDAY 2

WEDNESDAY 3

THURSDAY 4

FRIDAY 5

SATURDAY 6

SUNDAY 7

MONDAY 8

◑
Last Quarter

TUESDAY 9

WEDNESDAY 10

THURSDAY 11

FRIDAY 12

Lincoln's Birthday

SATURDAY 13

FEBRUARY

S	M	T	W	T	F	S
	1	2	3	4	5	6
7	8	9	10	11	12	13
14	15	16	17	18	19	20
21	22	23	24	25	26	27
28						

February

SUNDAY 14

St. Valentine's Day

MONDAY 15

Presidents' Day

TUESDAY 16

●
New Moon

WEDNESDAY 17

Ash Wednesday

THURSDAY 18

FRIDAY 19

SATURDAY 20

FEBRUARY

S	M	T	W	T	F	S
	1	2	3	4	5	6
7	8	9	10	11	12	13
14	15	16	17	18	19	20
21	22	23	24	25	26	27
28						

February

SUNDAY 21

MONDAY 22

Washington's Birthday

◐
First Quarter

TUESDAY 23

WEDNESDAY 24

THURSDAY 25

FRIDAY 26

SATURDAY 27

FEBRUARY

S	M	T	W	T	F	S
	1	2	3	4	5	6
7	8	9	10	11	12	13
14	15	16	17	18	19	20
21	22	23	24	25	26	27
28						

February ~ March

SUNDAY 28

MONDAY 1

TUESDAY 2

○
Full Moon

WEDNESDAY 3

THURSDAY 4

FRIDAY 5

SATURDAY 6

SUNDAY 7

MONDAY 8

International Women's Day

TUESDAY 9

WEDNESDAY 10

◑
Last Quarter

THURSDAY 11

FRIDAY 12

SATURDAY 13

MARCH

S	M	T	W	T	F	S
	1	2	3	4	5	6
7	8	9	10	11	12	13
14	15	16	17	18	19	20
21	22	23	24	25	26	27
28	29	30	31			

March

SUNDAY 14

MONDAY 15

TUESDAY 16

WEDNESDAY 17

St. Patrick's Day

●

New Moon

THURSDAY 18

FRIDAY 19

SATURDAY 20

Vernal Equinox 8:47 p.m. E.S.T.

SUNDAY 21

MONDAY 22

TUESDAY 23

WEDNESDAY 24

◐
First Quarter

THURSDAY 25

FRIDAY 26

SATURDAY 27

MARCH						
S	M	T	W	T	F	S
	1	2	3	4	5	6
7	8	9	10	11	12	13
14	15	16	17	18	19	20
21	22	23	24	25	26	27
28	29	30	31			

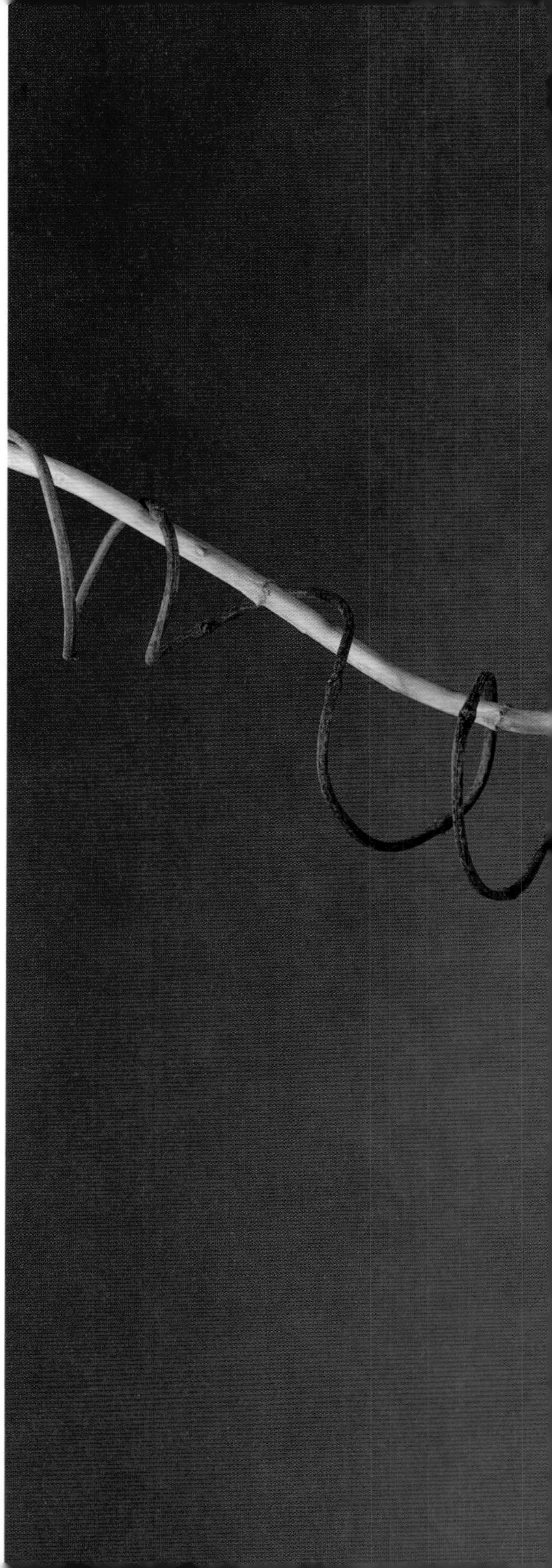

March ~ April

SUNDAY 28

Palm Sunday

MONDAY 29

TUESDAY 30

WEDNESDAY 31

Passover (begins at sunset)

○

Full Moon

THURSDAY 1

FRIDAY 2

Good Friday

SATURDAY 3

APRIL

S	M	T	W	T	F	S
				1	2	3
4	5	6	7	8	9	10
11	12	13	14	15	16	17
18	19	20	21	22	23	24
25	26	27	28	29	30	

April

SUNDAY 4

Easter

Daylight Saving Time begins in the U.S. (add 1 hour to clock)

MONDAY 5

TUESDAY 6

WEDNESDAY 7

THURSDAY 8

◑

Last Quarter

FRIDAY 9

SATURDAY 10

SUNDAY 11

MONDAY 12

TUESDAY 13

WEDNESDAY 14

THURSDAY 15

FRIDAY 16

● *New Moon*

SATURDAY 17

APRIL

S	M	T	W	T	F	S
				1	2	3
4	5	6	7	8	9	10
11	12	13	14	15	16	17
18	19	20	21	22	23	24
25	26	27	28	29	30	

April

SUNDAY 18

MONDAY 19

TUESDAY 20

WEDNESDAY 21

THURSDAY 22

Earth Day

◐

First Quarter

FRIDAY 23

SATURDAY 24

APRIL

S	M	T	W	T	F	S
				1	2	3
4	5	6	7	8	9	10
11	12	13	14	15	16	17
18	19	20	21	22	23	24
25	26	27	28	29	30	

April ~ May

SUNDAY 25

MONDAY 26

TUESDAY 27

WEDNESDAY 28

THURSDAY 29

FRIDAY 30

National Arbor Day

○

Full Moon

SATURDAY 1

MAY

S	M	T	W	T	F	S
30	31					1
2	3	4	5	6	7	8
9	10	11	12	13	14	15
16	17	18	19	20	21	22
23	24	25	26	27	28	29

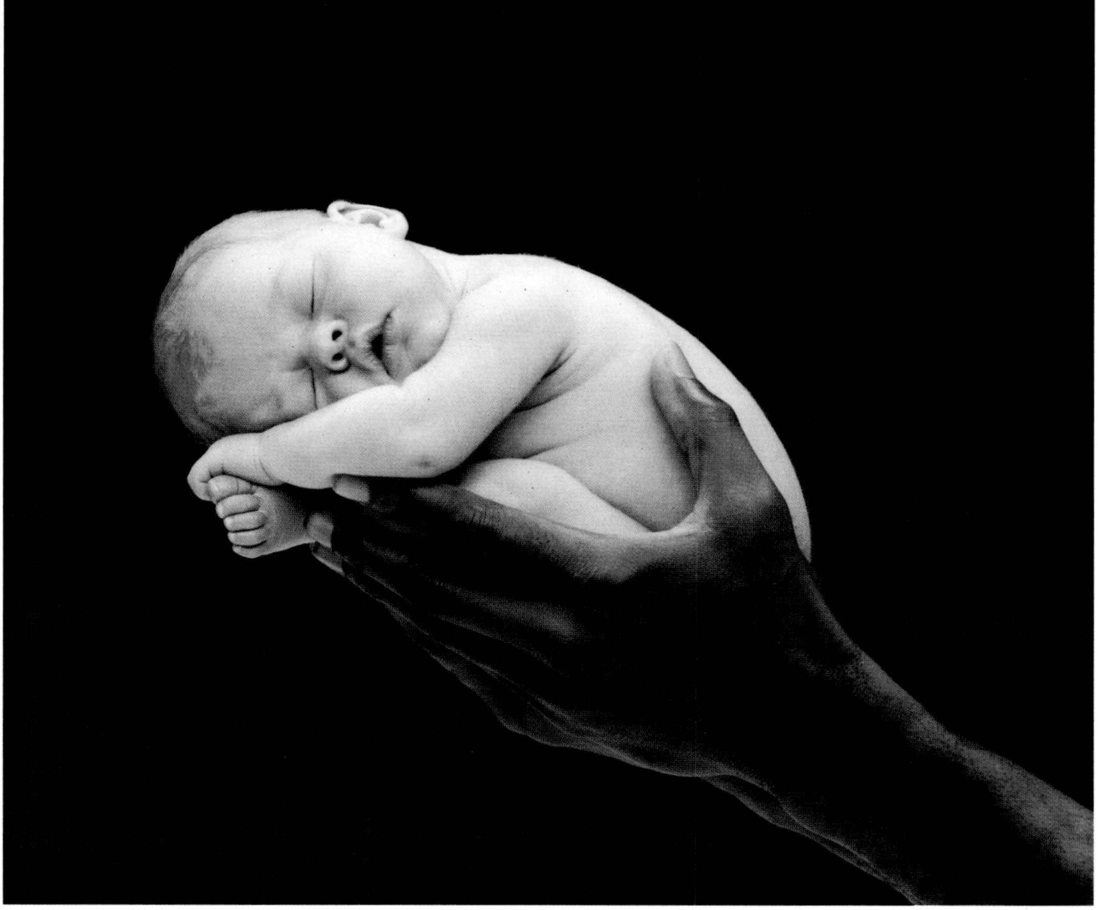

May

SUNDAY 2

MONDAY 3

TUESDAY 4

WEDNESDAY 5

THURSDAY 6

FRIDAY 7

SATURDAY 8

◑
Last Quarter

SUNDAY 9

Mother's Day

MONDAY 10

TUESDAY 11

WEDNESDAY 12

THURSDAY 13

FRIDAY 14

SATURDAY 15

●
New Moon

MAY

S	M	T	W	T	F	S
30	31					1
2	3	4	5	6	7	8
9	10	11	12	13	14	15
16	17	18	19	20	21	22
23	24	25	26	27	28	29

May

SUNDAY 16

MONDAY 17

Victoria Day (Canada)

TUESDAY 18

WEDNESDAY 19

THURSDAY 20

FRIDAY 21

SATURDAY 22

◐
First Quarter

SUNDAY 23

Pentecost

MONDAY 24

TUESDAY 25

WEDNESDAY 26

THURSDAY 27

FRIDAY 28

SATURDAY 29

MAY

S	M	T	W	T	F	S
30	31					1
2	3	4	5	6	7	8
9	10	11	12	13	14	15
16	17	18	19	20	21	22
23	24	25	26	27	28	29

May ~ June

SUNDAY 30

○
Full Moon

MONDAY 31

Memorial Day

TUESDAY 1

WEDNESDAY 2

THURSDAY 3

FRIDAY 4

SATURDAY 5

JUNE

S	M	T	W	T	F	S
		1	2	3	4	5
6	7	8	9	10	11	12
13	14	15	16	17	18	19
20	21	22	23	24	25	26
27	28	29	30			

INCHES
CMS
1 2 3 4 5 6 7 8 9 10 11 12
1 2 3 4 5 6 7 8 9 10 11 12 13 14 15 16 17 18 19 20 21 22 23 24 25 26 27 28 29 30

June

SUNDAY 6

MONDAY 7

◑
Last Quarter

TUESDAY 8

WEDNESDAY 9

THURSDAY 10

FRIDAY 11

SATURDAY 12

JUNE

S	M	T	W	T	F	S
		1	2	3	4	5
6	7	8	9	10	11	12
13	14	15	16	17	18	19
20	21	22	23	24	25	26
27	28	29	30			

June

SUNDAY 13

●
New Moon

MONDAY 14

Flag Day

TUESDAY 15

WEDNESDAY 16

THURSDAY 17

FRIDAY 18

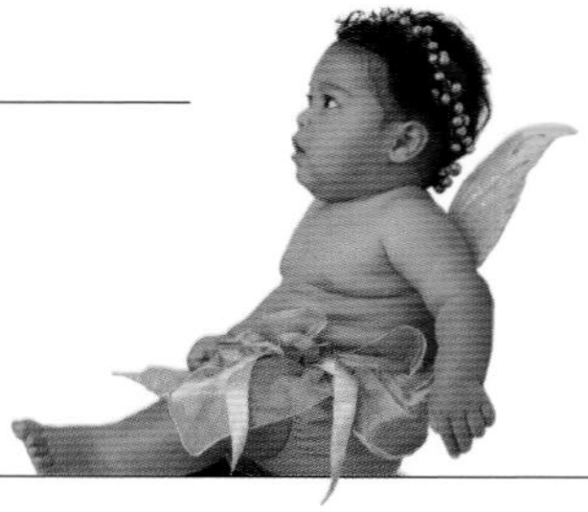

SATURDAY 19

SUNDAY 20

Father's Day

◐

First Quarter

MONDAY 21

Summer Solstice 3:50 p.m. E.D.T

TUESDAY 22

WEDNESDAY 23

THURSDAY 24

St. Jean Baptiste Day (Quebec)

FRIDAY 25

SATURDAY 26

JUNE

S	M	T	W	T	F	S
		1	2	3	4	5
6	7	8	9	10	11	12
13	14	15	16	17	18	19
20	21	22	23	24	25	26
27	28	29	30			

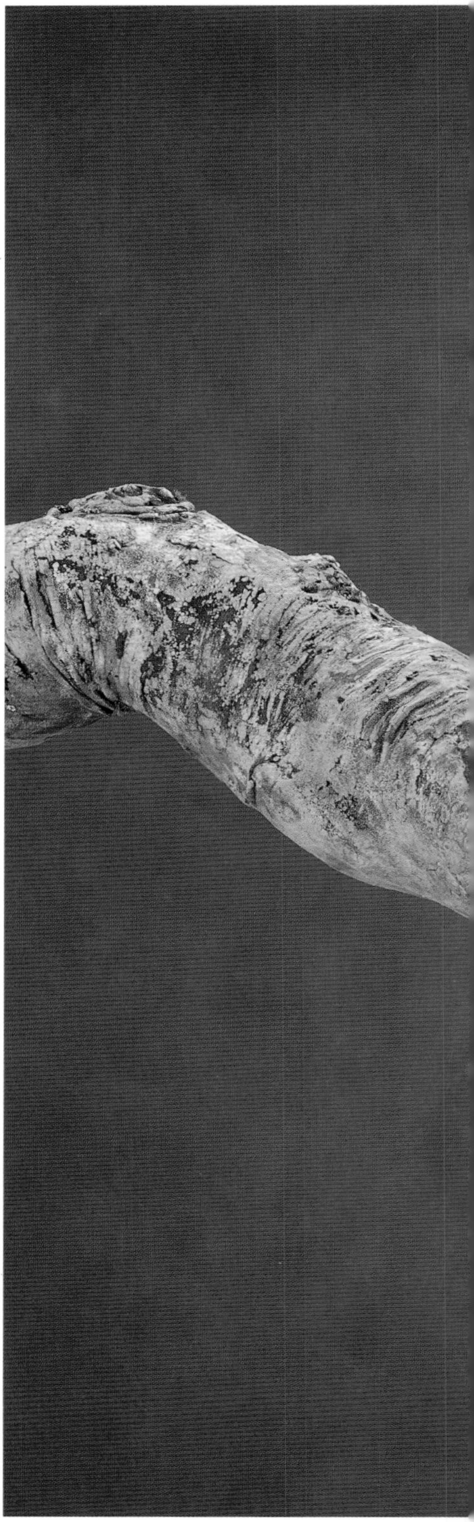

June ~ July

SUNDAY 27

MONDAY 28

○
Full Moon

TUESDAY 29

WEDNESDAY 30

THURSDAY 1

Canada Day (Canada)

FRIDAY 2

SATURDAY 3

JULY

S	M	T	W	T	F	S
				1	2	3
4	5	6	7	8	9	10
11	12	13	14	15	16	17
18	19	20	21	22	23	24
25	26	27	28	29	30	31

July

SUNDAY 4

Independence Day

MONDAY 5

TUESDAY 6

◑
Last Quarter

WEDNESDAY 7

THURSDAY 8

FRIDAY 9

SATURDAY 10

SUNDAY 11

MONDAY 12

●
New Moon

TUESDAY 13

WEDNESDAY 14

THURSDAY 15

FRIDAY 16

SATURDAY 17

JULY

S	M	T	W	T	F	S
				1	2	3
4	5	6	7	8	9	10
11	12	13	14	15	16	17
18	19	20	21	22	23	24
25	26	27	28	29	30	31

July

SUNDAY 18

MONDAY 19

TUESDAY 20

◐
First Quarter

WEDNESDAY 21

THURSDAY 22

FRIDAY 23

SATURDAY 24

JULY

S	M	T	W	T	F	S
				1	2	3
4	5	6	7	8	9	10
11	12	13	14	15	16	17
18	19	20	21	22	23	24
25	26	27	28	29	30	31

July

SUNDAY 25

MONDAY 26

TUESDAY 27

WEDNESDAY 28

○
Full Moon

THURSDAY 29

FRIDAY 30

SATURDAY 31

JULY

S	M	T	W	T	F	S
				1	2	3
4	5	6	7	8	9	10
11	12	13	14	15	16	17
18	19	20	21	22	23	24
25	26	27	28	29	30	31

August

SUNDAY 1

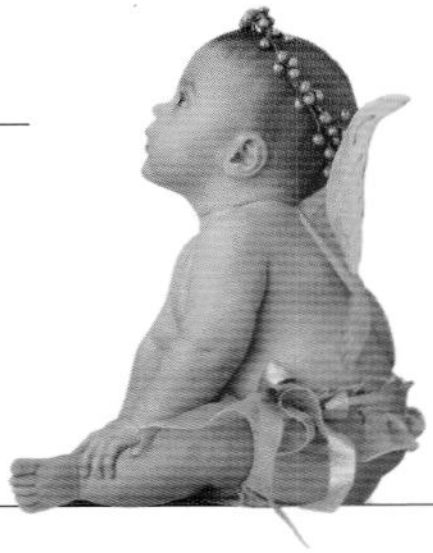

MONDAY 2

TUESDAY 3

WEDNESDAY 4

◑
Last Quarter

THURSDAY 5

FRIDAY 6

SATURDAY 7

SUNDAY 8

MONDAY 9

TUESDAY 10

WEDNESDAY 11

●
New Moon

THURSDAY 12

FRIDAY 13

SATURDAY 14

AUGUST

S	M	T	W	T	F	S
1	2	3	4	5	6	7
8	9	10	11	12	13	14
15	16	17	18	19	20	21
22	23	24	25	26	27	28
29	30	31				

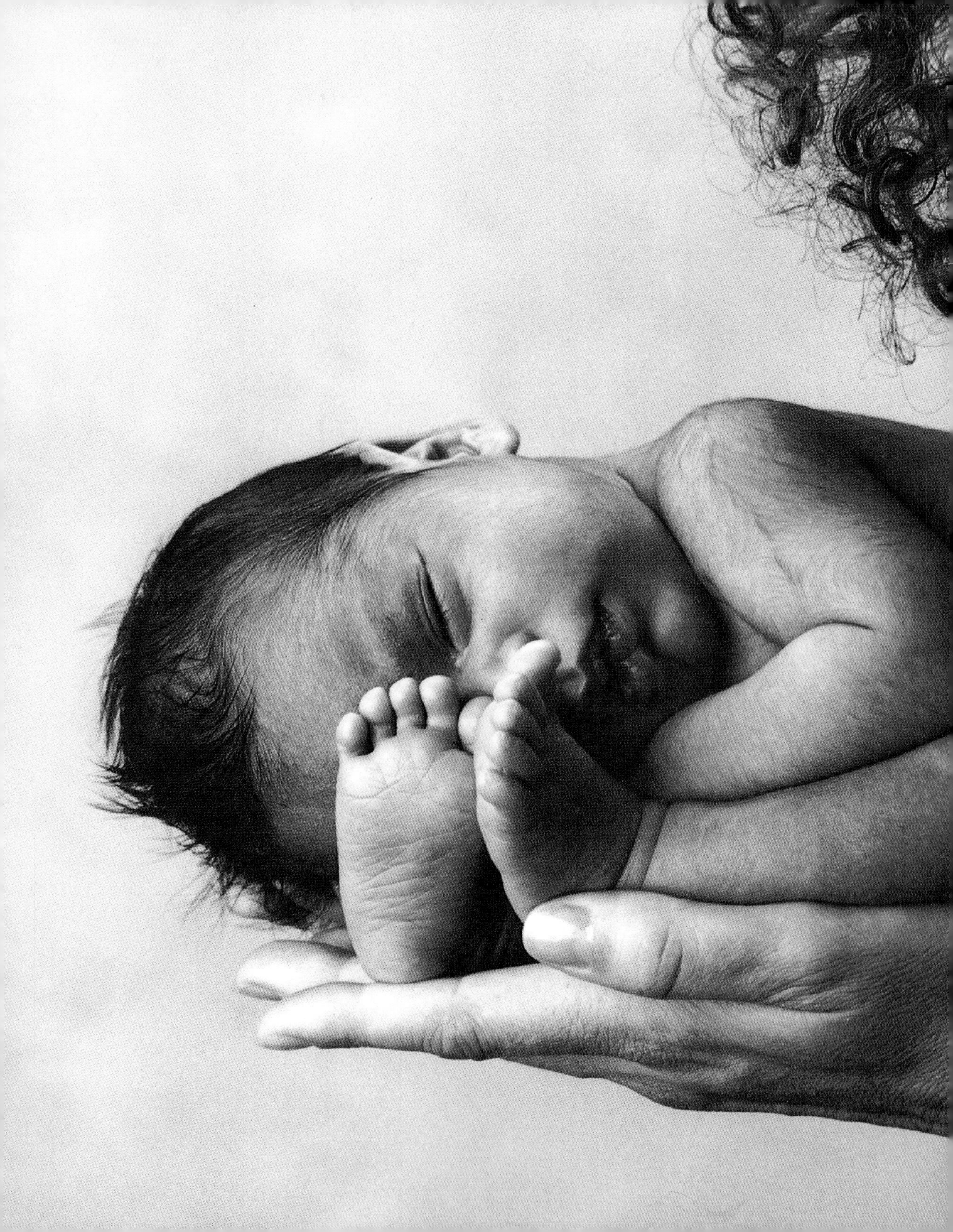

August

SUNDAY 15

MONDAY 16

TUESDAY 17

WEDNESDAY 18

◐ *First Quarter*

THURSDAY 19

FRIDAY 20

SATURDAY 21

SUNDAY 22

MONDAY 23

TUESDAY 24

WEDNESDAY 25

THURSDAY 26

○
Full Moon

FRIDAY 27

SATURDAY 28

AUGUST

S	M	T	W	T	F	S
1	2	3	4	5	6	7
8	9	10	11	12	13	14
15	16	17	18	19	20	21
22	23	24	25	26	27	28
29	30	31				

August ~ September

SUNDAY 29

MONDAY 30

TUESDAY 31

WEDNESDAY 1

THURSDAY 2

◑
Last Quarter

FRIDAY 3

SATURDAY 4

SEPTEMBER

S	M	T	W	T	F	S
			1	2	3	4
5	6	7	8	9	10	11
12	13	14	15	16	17	18
19	20	21	22	23	24	25
26	27	28	29	30		

September

SUNDAY 5

MONDAY 6

Labor Day

TUESDAY 7

WEDNESDAY 8

THURSDAY 9

●

New Moon

FRIDAY 10

Rosh Hashanah (begins at sunset)

SATURDAY 11

SEPTEMBER

S	M	T	W	T	F	S
			1	2	3	4
5	6	7	8	9	10	11
12	13	14	15	16	17	18
19	20	21	22	23	24	25
26	27	28	29	30		

September

SUNDAY 12

Grandparents' Day

MONDAY 13

TUESDAY 14

WEDNESDAY 15

THURSDAY 16

FRIDAY 17

◐

First Quarter

SATURDAY 18

SUNDAY 19

Yom Kippur (begins at sunset)

MONDAY 20

TUESDAY 21

WEDNESDAY 22

THURSDAY 23

Autumnal Equinox 7:33 a.m. E.D.T.

FRIDAY 24

SATURDAY 25

○
Full Moon

SEPTEMBER

S	M	T	W	T	F	S
			1	2	3	4
5	6	7	8	9	10	11
12	13	14	15	16	17	18
19	20	21	22	23	24	25
26	27	28	29	30		

September ~ October

SUNDAY 26

MONDAY 27

TUESDAY 28

WEDNESDAY 29

THURSDAY 30

FRIDAY 1

SATURDAY 2

◑
Last Quarter

OCTOBER						
S	M	T	W	T	F	S
31					1	2
3	4	5	6	7	8	9
10	11	12	13	14	15	16
17	18	19	20	21	22	23
24	25	26	27	28	29	30

October

SUNDAY 3

MONDAY 4

TUESDAY 5

WEDNESDAY 6

THURSDAY 7

FRIDAY 8

SATURDAY 9

●
New Moon

SUNDAY 10

MONDAY 11

Columbus Day
Canadian Thanksgiving Day

TUESDAY 12

WEDNESDAY 13

THURSDAY 14

FRIDAY 15

SATURDAY 16

OCTOBER

S	M	T	W	T	F	S
31					1	2
3	4	5	6	7	8	9
10	11	12	13	14	15	16
17	18	19	20	21	22	23
24	25	26	27	28	29	30

October

SUNDAY 17

◐
First Quarter

MONDAY 18

TUESDAY 19

WEDNESDAY 20

THURSDAY 21

FRIDAY 22

SATURDAY 23

OCTOBER

S	M	T	W	T	F	S
31					1	2
3	4	5	6	7	8	9
10	11	12	13	14	15	16
17	18	19	20	21	22	23
24	25	26	27	28	29	30

October

SUNDAY 24

○
Full Moon

MONDAY 25

TUESDAY 26

WEDNESDAY 27

THURSDAY 28

FRIDAY 29

SATURDAY 30

OCTOBER

S	M	T	W	T	F	S
31					1	2
3	4	5	6	7	8	9
10	11	12	13	14	15	16
17	18	19	20	21	22	23
24	25	26	27	28	29	30

October ~ November

SUNDAY 31

Daylight Saving Time ends in the U.S. (subtract 1 hour from clock)

Halloween

◑

Last Quarter

MONDAY 1

TUESDAY 2

Election Day

WEDNESDAY 3

THURSDAY 4

FRIDAY 5

SATURDAY 6

SUNDAY 7

●
New Moon

MONDAY 8

TUESDAY 9

WEDNESDAY 10

THURSDAY 11

Veterans Day
Remembrance Day (Canada)

FRIDAY 12

SATURDAY 13

NOVEMBER

S	M	T	W	T	F	S
	1	2	3	4	5	6
7	8	9	10	11	12	13
14	15	16	17	18	19	20
21	22	23	24	25	26	27
28	29	30				

November

SUNDAY 14

MONDAY 15

TUESDAY 16

◐
First Quarter

WEDNESDAY 17

THURSDAY 18

FRIDAY 19

SATURDAY 20

SUNDAY 21

MONDAY 22

TUESDAY 23

○
Full Moon

WEDNESDAY 24

THURSDAY 25

Thanksgiving Day

FRIDAY 26

SATURDAY 27

NOVEMBER

S	M	T	W	T	F	S
	1	2	3	4	5	6
7	8	9	10	11	12	13
14	15	16	17	18	19	20
21	22	23	24	25	26	27
28	29	30				

November ~ December

SUNDAY 28

MONDAY 29

◑
Last Quarter

TUESDAY 30

WEDNESDAY 1

THURSDAY 2

FRIDAY 3

Hanukkah (begins at sunset)

SATURDAY 4

DECEMBER

S	M	T	W	T	F	S
			1	2	3	4
5	6	7	8	9	10	11
12	13	14	15	16	17	18
19	20	21	22	23	24	25
26	27	28	29	30	31	

December

SUNDAY 5

MONDAY 6

TUESDAY 7

●
New Moon

WEDNESDAY 8

THURSDAY 9

FRIDAY 10

SATURDAY 11

SUNDAY 12

MONDAY 13

TUESDAY 14

WEDNESDAY 15

◐
First Quarter

THURSDAY 16

FRIDAY 17

SATURDAY 18

DECEMBER

S	M	T	W	T	F	S
			1	2	3	4
5	6	7	8	9	10	11
12	13	14	15	16	17	18
19	20	21	22	23	24	25
26	27	28	29	30	31	

December

SUNDAY 19

MONDAY 20

TUESDAY 21

WEDNESDAY 22

Winter Solstice 2:45 a.m. E.S.T.

○
Full Moon

THURSDAY 23

FRIDAY 24

SATURDAY 25

Christmas Day

DECEMBER

S	M	T	W	T	F	S
			1	2	3	4
5	6	7	8	9	10	11
12	13	14	15	16	17	18
19	20	21	22	23	24	25
26	27	28	29	30	31	

December ~ January

SUNDAY 26

Boxing Day (Canada)

MONDAY 27

TUESDAY 28

WEDNESDAY 29

◑
Last Quarter

THURSDAY 30

FRIDAY 31

SATURDAY 1

New Year's Day

JANUARY

S	M	T	W	T	F	S
30	31					1
2	3	4	5	6	7	8
9	10	11	12	13	14	15
16	17	18	19	20	21	22
23	24	25	26	27	28	29

2000

JANUARY

S	M	T	W	T	F	S
30	31					1
2	3	4	5	6	7	8
9	10	11	12	13	14	15
16	17	18	19	20	21	22
23	24	25	26	27	28	29

FEBRUARY

S	M	T	W	T	F	S
		1	2	3	4	5
6	7	8	9	10	11	12
13	14	15	16	17	18	19
20	21	22	23	24	25	26
27	28	29				

MARCH

S	M	T	W	T	F	S
			1	2	3	4
5	6	7	8	9	10	11
12	13	14	15	16	17	18
19	20	21	22	23	24	25
26	27	28	29	30	31	

APRIL

S	M	T	W	T	F	S
30						1
2	3	4	5	6	7	8
9	10	11	12	13	14	15
16	17	18	19	20	21	22
23	24	25	26	27	28	29

MAY

S	M	T	W	T	F	S
	1	2	3	4	5	6
7	8	9	10	11	12	13
14	15	16	17	18	19	20
21	22	23	24	25	26	27
28	29	30	31			

JUNE

S	M	T	W	T	F	S
				1	2	3
4	5	6	7	8	9	10
11	12	13	14	15	16	17
18	19	20	21	22	23	24
25	26	27	28	29	30	

JULY

S	M	T	W	T	F	S
30	31					1
2	3	4	5	6	7	8
9	10	11	12	13	14	15
16	17	18	19	20	21	22
23	24	25	26	27	28	29

AUGUST

S	M	T	W	T	F	S
		1	2	3	4	5
6	7	8	9	10	11	12
13	14	15	16	17	18	19
20	21	22	23	24	25	26
27	28	29	30	31		

SEPTEMBER

S	M	T	W	T	F	S
					1	2
3	4	5	6	7	8	9
10	11	12	13	14	15	16
17	18	19	20	21	22	23
24	25	26	27	28	29	30

OCTOBER

S	M	T	W	T	F	S
1	2	3	4	5	6	7
8	9	10	11	12	13	14
15	16	17	18	19	20	21
22	23	24	25	26	27	28
29	30	31				

NOVEMBER

S	M	T	W	T	F	S
			1	2	3	4
5	6	7	8	9	10	11
12	13	14	15	16	17	18
19	20	21	22	23	24	25
26	27	28	29	30		

DECEMBER

S	M	T	W	T	F	S
31					1	2
3	4	5	6	7	8	9
10	11	12	13	14	15	16
17	18	19	20	21	22	23
24	25	26	27	28	29	30

2001

JANUARY

S	M	T	W	T	F	S
	1	2	3	4	5	6
7	8	9	10	11	12	13
14	15	16	17	18	19	20
21	22	23	24	25	26	27
28	29	30	31			

FEBRUARY

S	M	T	W	T	F	S
				1	2	3
4	5	6	7	8	9	10
11	12	13	14	15	16	17
18	19	20	21	22	23	24
25	26	27	28			

MARCH

S	M	T	W	T	F	S
				1	2	3
4	5	6	7	8	9	10
11	12	13	14	15	16	17
18	19	20	21	22	23	24
25	26	27	28	29	30	31

APRIL

S	M	T	W	T	F	S
1	2	3	4	5	6	7
8	9	10	11	12	13	14
15	16	17	18	19	20	21
22	23	24	25	26	27	28
29	30					

MAY

S	M	T	W	T	F	S
		1	2	3	4	5
6	7	8	9	10	11	12
13	14	15	16	17	18	19
20	21	22	23	24	25	26
27	28	29	30	31		

JUNE

S	M	T	W	T	F	S
					1	2
3	4	5	6	7	8	9
10	11	12	13	14	15	16
17	18	19	20	21	22	23
24	25	26	27	28	29	30

JULY

S	M	T	W	T	F	S
1	2	3	4	5	6	7
8	9	10	11	12	13	14
15	16	17	18	19	20	21
22	23	24	25	26	27	28
29	30	31				

AUGUST

S	M	T	W	T	F	S
			1	2	3	4
5	6	7	8	9	10	11
12	13	14	15	16	17	18
19	20	21	22	23	24	25
26	27	28	29	30	31	

SEPTEMBER

S	M	T	W	T	F	S
30						1
2	3	4	5	6	7	8
9	10	11	12	13	14	15
16	17	18	19	20	21	22
23	24	25	26	27	28	29

OCTOBER

S	M	T	W	T	F	S
	1	2	3	4	5	6
7	8	9	10	11	12	13
14	15	16	17	18	19	20
21	22	23	24	25	26	27
28	29	30	31			

NOVEMBER

S	M	T	W	T	F	S
				1	2	3
4	5	6	7	8	9	10
11	12	13	14	15	16	17
18	19	20	21	22	23	24
25	26	27	28	29	30	

DECEMBER

S	M	T	W	T	F	S
30	31					1
2	3	4	5	6	7	8
9	10	11	12	13	14	15
16	17	18	19	20	21	22
23	24	25	26	27	28	29

2002

JANUARY

S	M	T	W	T	F	S
		1	2	3	4	5
6	7	8	9	10	11	12
13	14	15	16	17	18	19
20	21	22	23	24	25	26
27	28	29	30	31		

FEBRUARY

S	M	T	W	T	F	S
					1	2
3	4	5	6	7	8	9
10	11	12	13	14	15	16
17	18	19	20	21	22	23
24	25	26	27	28		

MARCH

S	M	T	W	T	F	S
31					1	2
3	4	5	6	7	8	9
10	11	12	13	14	15	16
17	18	19	20	21	22	23
24	25	26	27	28	29	30

APRIL

S	M	T	W	T	F	S
	1	2	3	4	5	6
7	8	9	10	11	12	13
14	15	16	17	18	19	20
21	22	23	24	25	26	27
28	29	30				

MAY

S	M	T	W	T	F	S
			1	2	3	4
5	6	7	8	9	10	11
12	13	14	15	16	17	18
19	20	21	22	23	24	25
26	27	28	29	30	31	

JUNE

S	M	T	W	T	F	S
30						1
2	3	4	5	6	7	8
9	10	11	12	13	14	15
16	17	18	19	20	21	22
23	24	25	26	27	28	29

JULY

S	M	T	W	T	F	S
	1	2	3	4	5	6
7	8	9	10	11	12	13
14	15	16	17	18	19	20
21	22	23	24	25	26	27
28	29	30	31			

AUGUST

S	M	T	W	T	F	S
				1	2	3
4	5	6	7	8	9	10
11	12	13	14	15	16	17
18	19	20	21	22	23	24
25	26	27	28	29	30	31

SEPTEMBER

S	M	T	W	T	F	S
1	2	3	4	5	6	7
8	9	10	11	12	13	14
15	16	17	18	19	20	21
22	23	24	25	26	27	28
29	30					

OCTOBER

S	M	T	W	T	F	S
		1	2	3	4	5
6	7	8	9	10	11	12
13	14	15	16	17	18	19
20	21	22	23	24	25	26
27	28	29	30	31		

NOVEMBER

S	M	T	W	T	F	S
					1	2
3	4	5	6	7	8	9
10	11	12	13	14	15	16
17	18	19	20	21	22	23
24	25	26	27	28	29	30

DECEMBER

S	M	T	W	T	F	S
1	2	3	4	5	6	7
8	9	10	11	12	13	14
15	16	17	18	19	20	21
22	23	24	25	26	27	28
29	30	31				